COLLE

FRANÇOIS CHENG
de l'Académie française

Enfin le royaume

Quatrains

Édition revue et augmentée

GALLIMARD

© Éditions Gallimard, 2018.
© Éditions Gallimard, 2019, pour les poèmes inédits et la présente édition.

à ceux que la poésie habite

Tu ouvres les volets, toute la nuit vient à toi,
Ses laves, ses geysers, et se mêlant à eux,
Le tout de toi-même, tes chagrins, tes émois,
Que fait résonner une très ancienne berceuse.

Nous avons bu tant de rosées
En échange de notre sang
Que la terre cent fois brûlée
Nous sait bon gré d'être vivants.

Là où dorment les morts est le lit sec d'un fleuve,
Où vivent les vivants un vieux volcan éteint.
L'été enfin pluvieux rendra-t-il à nos veuves
Leurs larmes, et leurs rires à nos orphelins ?

Nous ne te suivrons pas jusqu'au bout, ô chemin !
Le soir nous tient auprès du feu couleur de vigne.
L'horizon des oiseaux migrateurs est trop loin,
Vers l'ouest nous irons, où un lac a fait signe.

À l'intérieur des murs et au-dehors des haies,
Le printemps déchaîné ne nous protège plus.
Au fin fond de la terre en exil, nos mains nues
Font sortir de l'oubli toutes les roseraies.

Au bout de la nuit, un seuil éclairé
Nous attire encore vers son doux mystère.
Les grillons chantant l'éternel été,
Quelque part, la vie vécue reste entière.

Champs fumants que les pigeons abandonnent,
Nos mémoires enfouies font votre automne.
Qu'un pan de mur blanc surgisse au loin,
Et la terre en nos songes vogue sans fin !

Toute la neige à toi seul,
Prunus perçant la blancheur ;
Toute la terre en toi seul,
Jet de sang jailli du cœur.

La faim est notre lot,
force nous est d'endurer ;
La soif est notre lot,
force nous est de durer.

Nous avons côtoyé cette source sans âge,
source de tout repos, source de toute vie.
La soif de la vallée se mire en ton visage,
– saules du souvenir, nuage de l'oubli.

À bout de soif,
une gorgée d'eau…
Toute mort est vie :
désert – oasis.

À l'apogée de l'été,
Revient ce qui a été :
Tous les fruits haut suspendus,
Toute la soif étanchée.

Tous les raisins sont pour nous,
à nous nectar !
Toute l'ivresse est en nous,
à nous extase !

Me voici, pierre d'attente,
Où es-tu, source amie ?
Il suffit que tu viennes,
Pour que soit mélodie.

La vague revient, fidèle chienne,
Lécher tes pieds de sa langue amère.
Flairant soudain la peur millénaire,
Longuement elle aboie dans tes veines.

Au bout du long couloir enfin la mer s'apaise.
À la porte un rayon s'attarde et puis s'oublie.
Midi de faim, de soif, tes cheveux d'ambre tressent
Un filet ramenant tout l'or de nos rêveries.

Parallèle à la Voie lactée, ton corridor
De bout en bout s'emplit du souffle de l'espace,
Souffle muet qui s'accorde au rythme de tes pas,
Toi, tu entends le bruit des étoiles qui passent.

C'est le premier jour du printemps,
Tu longes le mur d'un jardin.
Une branche fleurie qui dépasse
Te murmure à l'oreille : « passe outre ! »

Au sein du désert, te voilà aveugle et sourd,
Ne voyant rien, n'entendant rien. Un coup de vent,
Et l'immense Présence vient à toi, te hélant :
« Tout d'ici t'est offert, offre-toi à ton tour ! »

Ce rai d'après-midi pénétrant
Ton sombre logis, toi l'avorton,
Tu le sais l'ange venu de loin,
De la nuit des temps : annonciation.

Et de strate en strate, le fond de la terre
Remonte à l'air, au rendez-vous des lumières.
Plaine en son midi, tout scintille d'éclats,
Nous submerge l'odorante houle céréale.

Au crépuscule, la nature exténuée
S'abandonne. Quelques corbeaux affamés
Picorent encore les restes du jour
Dans l'assiette ébréchée du couchant.

Vers le soir, abandonne-toi
à ton double destin :
Honorer la terre, et faire signe
aux filantes étoiles.

Apprends-nous, nuit, à toucher le fond,
À gagner le non-lieu où sel
Et gel échangent leur secret,
Où souffle et source re-font un.

Toi, nuit, tu avais beau tendre ta toile,
Sur l'océan s'est égarée une voile.
Pourtant, déchirant ton voile, tu montres
Qu'une seule flamme unit toutes les étoiles.

Silex du geste sans miroir,
silex du rire sans écho,
Solitaire ombre debout
contre la nuit sidérale.

Bâtir le royaume à mains nues
Au fond de la nuit abyssale
Sur les cailloux entrechoqués
De l'habitable étincelle.

L'immense nuit du monde
semée de tant d'étoiles,
Prendrait-elle jamais sens
hors de notre regard ?

Et l'immonde de notre nuit
trouée de mille cris,
Susciterait-il jamais écho
hors de notre ouïe ?

Sais-tu entrer dans la douleur
du monde de toute ton âme,
Pareil au papillon de nuit
se jetant dans la flamme ?

Tu surprends le vol des lucioles,
Tu entends la chute des pétales,
Est-ce l'heure des solitudes
Pour toi ? Ou celle du partage ?

Le sort de la bougie est de brûler.
Quand monte l'ultime volute de fumée,
Elle lance une invite en guise d'adieu :
« Entre deux feux sois celui qui éclaire ! »

Les crapauds ont craché sur la lune,
Les corbeaux ont dévoré la lune,
L'araignée seule a défait refait
La tortueuse toile du songe nocturne.

Nuit de lune. Quelqu'un se lève, s'évade,
S'émeut de ce que depuis toujours
Tant d'autres ont vu et tu ; il s'ouvre
À l'ardent courant du pur espace.

Des mots projetés dans la nuit
Pour traverser à gué la Voie,
Pour retrouver, jadis entrevue,
Depuis longtemps perdue, l'Étoile.

à Erik

Longue nuit d'hiver, restent croisées nos branches,
la promesse est en nous ;
Nous n'oublierons rien, nous oublierons tout,
déjà proche est la brise.

Vraie Lumière,
Celle qui jaillit de la Nuit ;
Et vraie Nuit,
Celle d'où jaillit la Lumière.

Le vrai toujours
Est ce qui tremble
Entre frayeur et appel,
Entre regard et silence.

Entre reins et cœur, à notre insu,
un filet de souffle circulant
Redit ce que les astres ont tu,
ce que la chair a corrompu.

Au bout de l'automne, nous parviennent encore
les échos de la grande cascade,
Ravivant le sang, ravivant le chant,
au creux de la roche fêlée.

Le centre est là
Où se révèlent
Un Œil qui voit,
Un Cœur qui bat.

Suivre les poissons, suivre les oiseaux.
Envies-tu leur sort ? Suis-les jusqu'au bout,
Jusqu'à te muer en bleu originel,
Terreau du désir même de nage, de vol.

Consens à la brisure, c'est là
Que germera ton trop-plein
De crève-cœur, que passera,
Un jour, hors de l'attente, la brise.

Entre cime et abîme, orage.
Un faucon guette l'instant de halte.
À flanc de falaise, une souche
Lui tend le bras, comme lui hors d'âge.

Haute tour, tu nous élèves à ta vue, portée
Par le vent du soir. Le vol d'aigles nous rend proche
L'âme errante des Anciens, mais à l'horizon,
Ceux qui s'en vont pas à pas s'effacent dans la brume.

Au sommet du mont et du silence,
rien n'est dit, tout est.
Tout vide est plein, tout passé présent,
tout en nous renaît.

Embruns, vous ne laissez nulle part
l'empreinte de votre secret ;
Seules nos lèvres gardent de vous
cette saveur de sel et de larmes.

Ici.
Nous avons tracé le trait,
Nous avons laissé vacant,
Afin qu'un jour   advienne.

Ici.
Nous avons posé l'obscur,
Nous avons posé l'éclat,
Afin qu'un jour   se souvienne…

à Xavier

Vient l'heure où toutes choses
se transmuent en dons :
Toutes larmes rosées,
toutes laves roses.

La lumière n'est belle qu'incarnée, à travers
Un vitrail ou le verre d'une bouteille de vin…
Consentons donc au sort d'être un œil fini
Qui se fait reflet de l'Éclat infini.

Des ténèbres sans fond surgissent les traits
Tracés par toi, fils de la longue nuit.
Portant les brûlures de l'Astre, tu n'es plus
Qu'une torche faite de branches et de suie.

Le trait, empreinte du souffle, est trait d'union
Reliant yin et yang, terre et ciel, eau et feu,
Bleu et rouge, vert et jaune, mort et vie, flèche
Par laquelle ta fureur prend son envol.

Le noir est une couleur, le blanc aussi ;
Tous deux participaient de l'Origine.
L'un appelant l'autre, l'un complétant l'autre,
Entre eux sans cesse la Vie fulgure, fait signe.

à Diane

Où vont-elles, les douleurs du monde ?
Où vont-elles, les beautés du monde ?
Passage d'un nuage entre abîmes ?
Sillage d'une barque sur l'onde ?

Vallée fidèle à nos étés d'antan, auge
Par où l'intarissable source nous exauce ;
Tendue vers la plus haute voûte, entonnoir
Qui nous re-verse d'enivrantes étoiles.

L'étang étale paisible ses eaux.
Son beau souci est de rester limpide,
Pour capter au loin d'insoucieux nuages…
(Attention ! Vers toi bondit un chevreuil !)

à Kim En Joong

T'inspirant de Lui, qui d'un mot d'un regard d'un geste
Transforme la vallée des âmes en ciel étoilé,
Tu agis : un saut un élan un chant et l'espace
S'anime, jusqu'au tréfonds, de rayons ailés.

à Mohammed

Ton âme, tu la sais sans la voir, mais tu vois
Celle d'un autre quand il s'émeut ou se confie.
Miracle des regards croisés, fenêtre ouverte :
Voyant l'âme de l'autre, la tienne tu perçois.

Il reste encore un pêcher
selon le désir grandi,
Après que les dieux tragiques
ont cherché ailleurs leur champ.

Il reste les mots inscrits
sur les branches du bonheur.
En quel hiver, ô quel feu
rappellera l'amour promis ?

Sur fond de brume, l'aube dessine
Un ruisseau bordé de saules,
Et puis, tout au bas du ciel,
Elle appose, rouge, le sceau.

Le chant nocturne s'achève en toi,
Quand tu exultes à ton propre nom :
Eucalyptus ! Éclats de la lune
Dissous dans le clapotis des vagues.

De quelle nuit es-tu venue ?
De quel jour ? Soudain tu es
Au cœur de tout. Les iris
Ont frémi ; le mot est dit.

Toi le féminin
Ne nous délaisse pas,
Qui n'est point douceur
Ne survivra pas.

Toi le féminin
Ne nous délaisse pas,
Hormis en ton sein,
Quel lieu pour renaître ?

De l'eau naît la flamme,
De la flamme l'air
Mêlé au pur souffle
D'une biche endormie.

Lorsque nous nous parlons,
Le rêve est à venir ;
Lorsque nous nous taisons,
Il est là, à cueillir.

Souffle rythmique, moutonnement de collines,
Flux et reflux de marées, vol de goélands,
Corps qui s'accordent, âmes qui réclament, silence
Au bout du chant, mais par-delà silence   chant !

Survivre sans répit
aux désirs,
Porter la soif plus loin
que l'oasis.

Roses écloses
Roses défuntes
Brefs les pétales
Long le parfum…

Plaisir d'amour, comment le préserver
sinon en aimant d'amour ;
Chagrin d'amour, comment le surmonter
sinon en aimant l'Amour ?

Un jour si je me perds en toi,
me rappelleras-tu mon nom ?
Un jour en toi si tu me retrouves,
me révéleras-tu ton nom ?

Si de mes doigts je te griffe,
m'ouvriras-tu ta main ?
Si, aveuglé, je te blesse,
me donneras-tu ton sang ?

Jour après jour si je te harcèle
accepteras-tu ma peur ?
Nuit après nuit si je t'enténèbre,
me passeras-tu ton feu ?

Privé d'air, d'eau si je t'oublie,
m'accueilleras-tu néanmoins ?
Coquille éclatée si je m'oublie,
m'habiteras-tu enfin ?

Ce chemin qu'une nuit nous avons parcouru,
Tu le prolongeras, enfant de mon regard,
Par-delà la forêt dort peut-être un étang
Ou une plage errant au gré de hautes vagues…

Ce chemin constellé, tu le prolongeras,
Malgré vents et rosées, enfant de ma mémoire,
De ce côté l'automne a enfoui son secret,
En toi le temps s'envole, fou d'appel d'oies sauvages !

Parle-nous,
Pour que plus rien ne soit perdu,
Ni la foudre embrasant les pins,
Ni l'argile chère aux grillons.

à André

Écoute-nous,
Pour que nos chants à toi dédiés,
Jaillis de la gloire d'un été,
Établissent enfin le royaume.

à Étienne

Sois prêt à accueillir
tout instant qui advient :
Sente gorgée de soleil,
grisée de lune, clairière.

Violettes violentées,
Rouge-gorge égorgé,
Nuit serait sans nuisance,
Si rêve ne révulsait.

Égaré au cœur de l'immense,
Le moindre arbre en vie est pivot
Autour duquel l'univers tourne.
Point de lointain qui ne soit proche.

Les désirs que nous portons en nous
Ne sont-ils bien plus grands que nous ?
Si grands qu'ils rejoignent l'originel
Désir par quoi la Lumière fut.

Tant et tant de vies ont vécu,
Tant et tant de paroles sont dites.
Le dernier mot, nul ne l'entend ;
Toi seul qui sais, le diras-Tu ?

Creuser vers la profondeur du dedans,
C'est affronter les défis du dehors.
Plus on gravit les hauts degrés sans nom,
Plus on appréhende en soi le sans-fond.

Le Vide. C'est alors qu'au fond de soi
S'ouvre à nouveau la Voie qui du Rien
Avait fait naître le Tout, où la vie
Vécue se découvre en neuve partance.

Nous rions nous trinquons, en nous défilent les blessés,
Les meurtris ; nous leur devons d'être en vie, car vivre,
C'est savoir que tout instant vivant est rayon d'or
Sur un océan de ténèbres, c'est savoir dire merci.

Parfois, détaché de la multitude,
Un regard anxieux te sollicite.
Tu restes coi ; avec l'autre, tous deux,
Vous entrez dans la commune solitude.

Il a laissé au loin sa mère en fin
De vie, sans oser dire un mot d'adieu.
Cet adieu non dit lui crève les yeux,
*Le change en un cri d'*AU-REVOIR *sans fin.*

à Lisa Bresner

La terrible vie terrestre n'est point pour toi.
Ton amour trop vaste pour qu'on pût t'aimer ;
Ton rêve trop haut pour qu'on te suivît. Par la fenêtre,
En un seul cri, tu rejoignis l'ange, ton propre être.

Et puis, un jour, tu affrontas la souffrance,
T'éloignas, laissas derrière toi la béance.
Nos jours ne sont plus qu'un jardin délaissé.
Parfois, tu souris, là, au bout de l'allée…

Ce jour-là, un orage éclate, il sort,
la foudre tombe à pic sur lui.
Ainsi va-t-il au-devant de son sort,
fort de son silence inouï.

à Estelle que nous n'oublions pas
et à toutes les autres

Le gouffre où la bête a broyé ton innocence,
Il est en nous. Jusqu'au bout, nous te chercherons.
Pour toi, nous gardons ce qui nous reste de tendresse,
Et nous veillons à ce que rien ne nous apaise.

La femme aimée oublie et s'oublie. Tu la ramènes
À longueur de temps à elle, ainsi qu'à toi-même.
Te revient alors toute la commune mémoire :
Toute peine se retrouve joie, toute joie peine.

Entre eux, entente à demi-mot,
Sans que le mot entier soit dit.
Un jour pourtant, l'un le dira,
Quand l'autre ne sera plus là.

Homme de blessures faites aux autres,
rongé de remords,
Tandis qu'un saint le pousse hors de lui,
la meute le dévore.

La mort qui rend tout unique est l'unique accès
À la transformation. Face à elle, on laisse tout,
Gardant seul ce que Dieu même ne peut remplacer :
L'amour inachevé d'une âme singulière.

Non dû mais don, mais abandon
À l'endurance, à la durée,
D'où l'abondance inattendue.
Tout don de vie abonde en don.

Au loin, mille milans mêlés aux nues ;
Plus proche, un sansonnet tout en louange.
Alors, souffle le juste Vide-médian,
Alors, nous traverse, inattendu, l'ange.

De sarments ils ont fait du feu,
de tourments ils ont fait le chant.
Quand la nuit décapite, leurs corps
crient l'initiale promesse du sang.

Un iris,
et tout le créé justifié ;
Un regard,
et justifiée toute la vie.

Froidure bleu glacé. Les arbres dénudés
Calligraphient leur psaume dans le ciel.
Plusieurs corbeaux, très à propos, viennent
Ajouter la ponctuation à l'antienne.

Sur le pré, l'énigmatique tortue,
à la démarche immémoriale,
En quête de quel secret tu ?
de quel oracle inaugural ?

Éternel adieu,
à tout moment ;
Éternel bonjour,
à chaque instant.

La bête de somme passe au milieu de nous,
sans se départir de sa muette dignité.
Se chargeant de tout le poids de notre inconscience,
elle nous fixe de son regard de pitié.

Le vieux cheval, à l'orée de la plaine,
S'immobilise, se figeant en statue.
Lui qui enchaînait galop sur galop
N'est plus que muette attente du grand saut.

Le chat nouveau-né abandonné là
Dans le fourré, corps informe, concentré
De soif, de faim, de frayeur, de crève-cœur,
Minuscule œil fixant, hagard, l'Énorme...

Le fût, la futaie et les feuillages,
Les fleurs, les fruits et la foisonnante
Frondaison, qu'un pur souffle relie
À la primordiale flamboyance.

De toutes les créatures tu es la plus confiante,
car tu tiens autant du ciel que de la terre.
Seul, tu captes ce qui vient de plus loin que le vent,
l'insaisissable source des rayons verts.

à Enza

Qu'il vente qu'il neige, nous ne céderons pas un pouce.
Gardiens du temple, arbres de vie, toujours dressés,
Nous sommes offrande de la fine fleur du sol
Et rappel de la haute promesse du ciel.

Entre équinoxe et solstice, la sève
Montante a bu glaçons et brandons.
Au sommet, elle s'offre sans réserve
Au foudroiement, à la floraison.

Vent debout, nous formons la grande houle ;
En nous les brûlantes saisons s'écoulent.
Nous serons tout bruit au passage des cigognes ;
Qu'un loriot chante, et nous serons tout ouïe.

Tes branches brodent l'azur avec des fils mauves,
nous tendant par là une voûte tamisée.
Bienveillant, tu connais notre besoin
de l'ombre pour jouir de la lumière.

Fidèles, nous tendons les bras à ceux qui viennent :
Écureuils affamés, migrateurs exténués...
À midi, des errants se confient à nos racines ;
Au couchant, un nuage s'attarde à notre cime.

Arbre solitaire,
Ombre solitaire,
Corps des nomades réunis,
Battant le cœur du désert.

Quand passe le vent, se laissant tirer vers le haut,
Le tilleul entre dans sa danse en spirale.
Ivre du rythme du dragon, il lance ses feuillages
Sur toute l'échelle des octaves en vibrant choral.

Quand survient l'heure nous nous donnons à la flamme
Du cœur. Éclatent en nous les couleurs de l'arc-en-ciel :
Du jaune au rouge en passant par l'orange, le roux…
Tant de passions aux entrailles que nous avions tues !

Tronc couché en travers de la sente forestière,
Senteur d'une aire hors-temps. Nous y faisons halte,
Goûtant des mûres piquées de guêpes, sans nous douter
Que nous fondons dans la saveur immémoriale.

Aux confins du dire,
tu te laisses conter :
Jactance d'une pie,
par-delà les haies.

Au tournant de l'allée un parfum t'arrête,
Ce même parfum qui t'a frôlé un soir :
Où donc ? quand donc ? caillou jeté aux orties…
Ta vie à retrouver dans le fugitif !

à Yves

Le jour donne à vivre, la nuit donne à voir,
Tout aller est clair, tout retour obscur.
Obscur sur obscur, reste la lune-miroir,
Il ne nous est vie que du pur re-voir.

Sous le ciel grisâtre, au fond du bois, un appel
Bref se fait entendre. Est-il mû par la frayeur ?
Ou la ferveur ? Du fond de tout, ce bref appel
D'un loriot éveille, là, les ondes éternelles…

De flamme et d'azur
Alouette au chant pur,
D'un bond, tu accèdes
À la plus haute fête !

Odeur de fumée le long d'une vie, couronnant
Pêle-mêle les toits de chaume d'un village reclus,
Les pommes de pin craquant dans les feux d'automne,
Un bivouac au désert, tant d'amis tôt disparus...

Intermittents interstices où la vie se révèle.
Chat perdu, douleur tue, anciennes lettres relues,
Visages réapparus, rires et pleurs, seringa
D'un soir d'août perpétuant le paradis perdu.

Entre inattendu et inespéré, affleure
Une vie cachée que le temps a mise en miettes.
Clapotis et chuchotis nous restituent
Les jades de jadis, parmi maintes lunes, égarés.

L'aile de l'orfraie, frôlant
Le feuillage, fait tomber
L'ultime goutte de pluie
Sur l'étang, miroir brisé…

Martin-pêcheur a plongé ; l'eau de l'étang
Propage jusqu'aux bords ses cercles concentriques.
Rond est l'univers, maintenu par le souffle
Circulaire : nul coin perdu, tout rejoint tout.

C'est alors que la page se change en alpage ;
La blancheur fait place aux vertes retrouvailles.
Dans la senteur d'herbe que la mémoire ravive,
Les moutons de retour se réveillent sonnailles.

La nature, en nous, opère ses métamorphoses,
Dragon se rêvant phénix, et lys libellule.
Monts et mers, vaste réserve, inépuisable,
Que contient pourtant ce cœur nôtre, minuscule.

Scintillement de l'être, par la fente
d'un volet mal fermé ;
Bruissement de l'être, par le trou
d'une mémoire en jachère.

Ce fut malheur quand fut perdue pour nous
la paix de la finitude ;
Notre chair close se vit transpercée
par l'épée de l'infini.

La mort n'efface rien. Orphée n'aura de cesse
De se retourner, tirant de l'ombre l'aimée.
Le Vide-médian changera tout cri en chant,
Et tout corps déchiré en souffle jaillissant.

Se tenir coi, prêter l'oreille, ne prononcer
Que les mots nés des racines ou venus de loin
Qui s'unissent en toi dans la rythmique du cœur
Frayant passage, telle la Voie, au sein du chaos.

à Pierre

Nous entrons dans le paysage, corps et âme en éveil ;
Une éternelle attente close ici par l'éphémère.
La colline implose en fleurs, la source en nuage se mue,
Le monde prend sens, étant vu ; nous prenons sens,
ayant su.

Tu montes sur la colline, un nuage t'attend ;
Tu descends de la colline, t'attend une source.
Happé par la circulation terre-ciel,
Consens-tu enfin à la loi mort-vie ?

Par-delà les monts, peut-être nous attendent encore
Un vallon, une cascade, d'anonymes chaumières.
Nous comptions y aller, nous ne l'avons pas fait ;
Peut-être vaut-il mieux que perdure le rêve.

Ici, la baie assure la brève paix humaine ;
Là-bas, la mer s'éblouit au feu du couchant.
Gloire depuis le temps où nous n'étions pas là ;
Gloire jusqu'au temps où nous ne serons plus là.

d'une pivoine

Du fond du cœur, la fontaine de tes pétales
ouvre l'espace par vagues successives,
Jusqu'à ce qu'une ombre secrète se lève,
parfum par où le sol ravit le ciel.

Voici que le mont, de sa hauteur indomptée,
Livre toute sa façade au soleil de midi.
Alors que ses rochers nus s'enivrent d'éclats ;
Ses mousses, promesse de vie, gardent leur secret.

à Marc

L'aigle tournoyant traite de haut les tempêtes ;
Sans cesse il va à rebours du vent, des éclairs.
Parfois, las d'effort sans trêve, au zénith il monte,
Se laissant aspirer par le bleu du grand fond.

Nous longeons tard le soir un vallon inconnu,
Espace encore éveillé : arbres en émoi,
Oiseaux en joie, mais nous passons notre chemin,
La nuit hâtant nos pas vers un morne chez-soi.

Au bord de l'immense, à l'heure fixe de l'été,
Le soleil tombant dru oblitère notre ombre.
Senteur d'herbe bourdonnant de mouches, d'abeilles,
La prairie nous déporte loin, où naît le tonnerre.

Cherche l'éclair, celui qui frappe
d'un coup de foudre,
Ou qui ébranle jusqu'aux entrailles,
d'une simple caresse.

Rien n'est beau comme un amour retrouvé.
On suit la sente refleurie jusqu'au lieu
Du premier rendez-vous. Dès lors, le temps
Est pour toujours à son commencement.

Au bout du chemin aux herbes sauvages,
Vide est la cabane qui cachait l'amour.
Restent en nous d'anciens mots échangés ;
La vie ne cesse, elle, de tourner la page.

Le chat a enjambé le muret,
Le merle a survolé le peuplier,
L'homme s'est souvenu de la démarche
D'une femme… Une vie sur terre est passée.

Un toit t'abrite, toit d'un temple en ruine.
T'empoigne te pénètre la trop vaste nuit.
Tu es seul avec les clochettes qui tintent,
Seul à ouïr la lente approche de la pluie.

La lampe éteinte nous invite au silence.
Dehors, l'aboiement d'un chien apeuré.
Quelqu'un s'est approché puis éloigné :
Résonnent les pas d'un dieu en errance.

Tenir bon. Jusqu'à l'écœurement,
Jusqu'au retournement, chair broyée,
Os rompus, chute dans le Rien, seul à même
De réinventer le Tout. Tenir bon.

L'ombre immobile des bambous
Qu'un vol de fauvette pulvérise,
Et le jardin se trouve sans haies,
Et midi rétablit son règne.

La beauté est une rencontre. Toute présence
Sera par une autre présence révélée.
D'un même élan regard aimant figure aimée ;
D'un seul tenant vent d'appel feuilles de résonance.

Grand cerf fier de tes bonds, tu portes
Toute la forêt entre tes branches :
Par tes brames, elle exhale son âme ;
Par tes plaies, elle renouvelle son sang.

La nuit d'août nous re-donne une fête galante.
La lune enchante le pré. Nous parlons, nous rions…
Soudain nous nous taisons, émus du chant qu'émet
À voix basse la terre-mère le temps d'une brève entente.

Le bruit du lave-vaisselle atteste que nous sommes là
Faisant notre devoir quotidien. En continu,
Le transistor déverse le vacarme du monde, noie
Nos voix étouffées dans le flot des détritus.

Livré au regard de tous et pourtant invisible,
N'ayant pour compagnons que poussières et poux,
Avec deux cartons, tu déplies le froid des nuits,
Et trois syllabes qui font honte, tu hantes les logis.

Le vomi de la gare noircit les rues adjacentes,
Briques et pavés celant les crachats des voyageurs.
Ça et là, les sex-shops se font fort de décharger
Le désœuvrement humain de sa crasse pesanteur.

Il fixe le terrible de tout son effroi.
Voix ravalée, il n'est plus que regard.
Le terrible est immense ; lui, le minime,
Tend néanmoins un incassable miroir.

à Claude Dagens

Nous n'effacerons pas les mots échangés
Près du carrefour aux hurlements de sirènes,
Le soir d'un monde clos criant au secours.
Désespérance est notre espérance même.

L'invisible s'est fait sentir : les foudres ont frappé ;
Le mouvement tellurique a changé de cadence.
Les arbres ont tremblé ; les bêtes ont couru.
Déracinés, les humains seuls dans l'ignorance.

Quand la nuit tire à sa fin, un astre
À l'horizon nous salue encore.
Lui, paisible, a pourtant le cœur lourd,
Témoin de nos corps rongés d'amour.

Toute la patience terrestre,
Toute la pression marine,
Pour que se change en toi, perle,
Une lointaine larme de lune.

à Caroline, céramiste

À l'instar du Souffle qui fait tourner les astres,
Tu relies l'argile à l'azur par ta coupe ronde,
– du pin au nuage, ardent vol d'une cigogne !
Entre tes mains porteuses, tout se découvre don.

à Alice

L'arbre donne le fruit ; la terre donne l'arbre ;
Le ciel donne la terre, ciel venu du pur don.
Nous sommes fruits nous portons fruit ; jour après jour,
Nous prenons part à la Voie de la Donation.

Ici la gloire ? Oui, c'est ici
Que, damnés, nous avons appris
À nous sauver par le chant – Aum
Qui nous conduit au vrai royaume.

Semonce d'automne. Voici qu'à grand fracas d'ailes,
S'arrachant des eaux de toute leur force ahanante,
– longue traînée de rêves vers leur patrie salutaire –
Les oies sauvages retracent au ciel la voie des anges.

Nuage un instant
apprivoisé,
Tu nous délivres
de notre exil.

Se laisser miner par les abîmes, fracasser
Par les tracas, ou mordre par le remords… Vivre,
C'est tendre vers l'ultime noyau, au travers
Des épreuves de tout ; c'est se laisser taillader.

N'oublions pas ceux dans l'abîme, privés de lieu,
De feu, de joue consolante, de main secourable.
Eux, chair en lambeaux, gardent pourtant mémoire
D'avoir de tout leur être dit oui à la Vie.

Le chagrin nous pousse vers l'extrême limite ;
Au-delà, le dicible n'est plus qu'un cri muet.
Nos morts tragiques nous transpercent la chair
De leur silence qui hurle dans la nuit.

à un héros de notre temps

Il va droit au-devant du mal radical,
Avec pour seule arme l'élan absolu.
Se mettant dans les pas de son maître, il entre
Dans le règne où la vie donnée ne meurt plus.

à un moine-poète

Oui, nécessaire clôture pour que le lieu soit lien
Et le temps attente. Rien ne peut forcer la patience
Des branches et des fleurs. Souverain abri pour que
L'espace soit appel et l'instant répons sans fin.

Les lentes ondes émanant de toi
Rejoignent celles qui viennent vers toi.
Dehors dedans font un ; tu es l'ouvert.
De sphère en sphère, tu gagnes le hors-soi.

Tout cri rejoint le cri originel,
toute souffrance l'initiale souffrance.
Dans le gouffre sans fond, seule la Pitié sans fin
nous relie à la Vie qui toujours recommence.

Encore un pas, et nous serons
Au sommet, nous verrons la mer
Faire don de ses voiles cinglant
Vers le blanc rivage de l'enfance.

Femme à la fenêtre face au clair de l'outre-ciel.
Vers elle, l'étincelle des ailes à dos de vent.
Ce qu'elle attend, elle n'en doute pas, est là.
Son cœur bat tant qu'elle mourrait sur-le-champ.

à Gabriel de Broglie

Qui accueille s'enrichit, qui exclut s'appauvrit.
Qui élève s'élève, qui abaisse s'abaisse.
Qui oublie se délie, qui se souvient advient.
Qui vit de mort périt, qui vit de vie sur-vit.

Mystère est un singulier qui ne se révèle
que par d'autres singuliers,
Que par le toujours inespéré face-à-face
des présences entrecroisées.

Guêpe sur la goutte de miel,
Sauterelle sur l'épi,
À la crête de l'instant-lieu,
Âpre quête d'une vie.

Qu'importe donc le vase
ébréché,
Si les fleurs frais cueillies
restent entières.

Consens enfin à être
l'humus sans fond,
Pour retourner la vie
de fond en comble.

Heure épiphanique, quand le destin
De l'impensable vie frappe son gong.
Chacun réintègre son effroi :
Caille en sa chute, cerf en son bond.

à Hélène

Les souffles s'entrecroisent puis s'apaisent ;
Les voix s'interpénètrent puis se taisent.
Lieu clos où d'un coup s'installe l'infini,
L'air ne respire plus que le pré fleuri.

Que par le long fleuve on aille à la mer !
Que par le nuage-pluie on retourne à la source !
Toute vague cède à l'appel de l'estuaire,
Et tout saumon à l'attrait du retour.

Un grand vent nous parcourt, nous traverse,
de tout son tam-tam de véhémence.
Ce qui était rompu est relié,
nous nous livrons à la délivrance.

Entre tous les départs, choisissons le retour,
Au centre des retours, refaisons le voyage.
Dans les sillons de cent soleils perclus d'amour,
La source du regard fixera nos visages.

SEPT QUATRAINS D'UN AMOUR MYSTIQUE

Le haut amour a lieu, quand résonne l'aveu
À l'ombre du vieux palais, en fin d'après-midi.
Miraculeux printemps sur le faîte des ans !
Un simple aveu, la vie entière fulgure à neuf.

Tremblement de l'être quand l'amour nous tient ;
Ravissement de l'être quand l'amour nous porte.
L'éclat du jour est un visage qui éveille,
Et la flamme de la nuit un regard qui veille.

Je te rejoins au plus haut de l'arbre de Vie.
Nous surplombons à deux les abîmes franchis.
Prises dans l'ardente brise de la mémoire,
Nos ramures refont la promesse des racines.

Nous pénétrons le bois jusqu'à la clairière
Où la voûte astrale couve une neuve saison.
Instant vacant. L'ancienne douleur enfouie
Inaugure la voie royale de l'éclosion.

Tu contemples le paysage et tu en fais partie.
Quiconque le contemple est par toi aimanté :
Or du corps ambre de l'âme mont de jade eau d'émeraude,
Une brume outremer unit humain-divin sol-ciel.

Ce qui peut être dit est dit comme en passant ;
Gardera son secret ce qui est indicible.
Un regard un toucher emplissent leurs pensées ;
Il leur faut, pour tout dire, une autre éternité.

Mais il reste la nuit
Où la braise en souffrance
Épure mille charbons
En unique diamant.

Ton chant de lumière d'été entre lac et ciel
Se mêle peu à peu aux vagues, mais son écho
Vogue loin, menant les mouettes jusqu'aux confins
Du rêve où flambent, radiantes, les neiges éternelles.

Toujours cette soif non étanchée ;
Toujours ce sous-sol non irrigué.
Fruit ni pluie n'est d'un secours. À moins
Qu'au bout de tout la source ne revienne…

Il est là, depuis toujours là,
étant la Voie même.
Il est là, toujours avec nous,
base même de nos voix.

à Pierre Brunel

Le monde attend d'être dit,
Et tu ne viens que pour dire.
Ce qui est dit t'est donné :
Le monde et son mot de passe.

à Jean-Luc

Tout le drame d'ici se joue
au sein d'une autre réalité ;
L'autre, invisible et sans limites,
suspend l'ici en son Ouvert.

Notre trouble vie se déroule sur fond
D'un Dieu méconnu. À chaque désastre,
Nous butons ou chutons sur lui, toujours
Le même, inaltérablement autre…

Tout d'un coup je dis tu,
Sachant que tu es là.
Le clair val s'étant tu,
Ne s'entend que moi – toi.

à Yves et Andrée

Ce moment partagé, nous nous en souviendrons
Un jour, comme d'un mont par-delà les nuages,
Où tout demeure en soi et se change en son autre :
Arbre fleuri chant de source, feuille au vent papillon.

Arc-bouté
sur ses brèches,
Tout son être
se fait flèche…

L'homme chemine seul sur la route inconnue.
Long est son chagrin ; mais la route en sait plus long…
Un oiseau quittant sa branche fend l'air d'un cri ;
Tout revient au silence, sans que rien ne soit dit.

Les morts sont parmi nous, plus vifs que les vivants,
Nous intimant d'être à l'écoute. Initiés
Par-delà douceur et douleur au grand secret,
Ils n'auront de cesse qu'ils ne nous l'aient confié.

Un pan de mur délabré,
un subit jet de lumière,
La vie est là, impérieuse,
vivre est le suprême mystère.

Être en attente, c'est être attentif
À tous signes annonçant l'advenance.
Si Dieu est, il est aussi dans l'attente ;
De l'advenance, nous sommes partie prenante.

Une grande chose a lieu : l'univers ? non, la Vie.
C'est là l'unique aventure, sublime et tragique.
Pour que la vie soit vie, la mort incontournable ;
Seule la Voie ne meurt pas, qui l'épouse a sa part.

Ne te mens plus, ni ne te
Lamente. L'heure est venue
De faire face, peu te chaut
L'extase ou le désastre.

ENVOI

Ne quémande rien. N'attends pas
D'être un jour payé de retour.
Ce que tu donnes trace une voie
Te menant plus loin que tes pas.

François Cheng est né en Chine, à Nanchang, en 1929. Issu d'une famille de lettrés, il entreprend d'abord des études universitaires à Nankin, puis gagne, en 1949, la France où il s'installe définitivement. Après des études à la Sorbonne et à l'École pratique des Hautes Études, il choisit à son tour l'enseignement et occupe bientôt une chaire de professeur à l'Institut national des langues et civilisations orientales.

Il publie, à Taïwan et à Hong Kong, ses premiers poèmes en chinois au cours des années 1960, traduit également nombre de poètes français depuis Victor Hugo jusqu'à René Char et Henri Michaux. En 1977 paraît son premier livre en français et, désormais, il n'écrit plus que dans sa langue d'adoption.

Son œuvre d'essayiste, de traducteur, de calligraphe, de romancier et de poète est désormais traduite dans de nombreux pays. Elle apparaît comme l'aboutissement d'un double itinéraire intérieur qui entend assumer son passé et la meilleure partie de sa culture d'origine, tout en s'initiant, à travers l'expérience de l'exil, à la meilleure part de la culture occidentale. Itinéraire à la fois douloureux et exaltant, vécu, avec une acuité extrême et bienveillante, dans une tension de tous les instants, chaque jour orientée davantage vers l'unité qui ne saurait être identifiée qu'à l'Ouvert.

François Cheng a obtenu le Grand Prix de la francophonie en 2001 et a été élu à l'Académie française en juin 2002.

Recueils de poésie

DE L'ARBRE ET DU ROCHER, Fata Morgana, 1989.

SAISONS À VIE, Encre marine, 1993.

36 POÈMES D'AMOUR, Unes, 1997.

QUAND LES PIERRES FONT SIGNE, Voix d'encre, 1997.

DOUBLE CHANT, Encre marine, prix Roger-Caillois 1998, rééd. 2002.

CANTOS TOSCANS, Unes, 1999.

POÉSIE CHINOISE, Albin Michel, 2000.

QUI DIRA NOTRE NUIT, Arfuyen, 2001, nouvelle éd. 2003.

LE LONG D'UN AMOUR, Arfuyen, 2003.

LE LIVRE DU VIDE MÉDIAN, Albin Michel, 2004, « Espaces libres », 2009.

QUE NOS INSTANTS SOIENT ACCUEIL, illustrations de Francis Herth, Les Amis du livre contemporain, 2005.

QUAND LES ÂMES SE FONT CHANT. Avec Kim En Joong, Bayard, 2014.

LA VRAIE GLOIRE EST ICI, Gallimard, 2015.

ENFIN LE ROYAUME, quatrains, Gallimard, 2018.

Romans

LE DIT DE TIANYI, Albin Michel, prix Femina, 1998, Livre de Poche, 2007.

L'ÉTERNITÉ N'EST PAS DE TROP, Albin Michel, 2002, Livre de Poche, 2008.

QUAND REVIENNENT LES ÂMES ERRANTES, Albin Michel, 2012, Livre de Poche, 2014.

Essais et traductions

L'ÉCRITURE POÉTIQUE CHINOISE, Seuil, 1977, « Points Essais », 1996.

VIDE ET PLEIN, LE LANGAGE PICTURAL CHINOIS, Seuil, 1979, « Points Essais », 1991.

SOUFFLE-ESPRIT, Seuil, 1989, « Points Essais », 2006.

ENTRE SOURCE ET NUAGE, LA POÉSIE CHINOISE RÉINVENTÉE, Albin Michel, 1990, « Spiritualités vivantes », 2005.

LE DIALOGUE, UNE PASSION POUR LA LANGUE FRANÇAISE, Desclée de Brouwer, 2002.

CINQ MÉDITATIONS SUR LA BEAUTÉ, Albin Michel, 2006, Livre de Poche, 2010.

L'UN VERS L'AUTRE : EN VOYAGE AVEC VICTOR SEGALEN, Albin Michel, 2008, « Espaces libres », 2019.

LA JOIE : EN ÉCHO À UNE ŒUVRE DE KIM EN JOONG, Cerf, 2011.

ŒIL OUVERT ET CŒUR BATTANT : COMMENT ENVISAGER ET DÉVISAGER LA BEAUTÉ, Desclée de Brouwer, 2011.

CINQ MÉDITATIONS SUR LA MORT. AUTREMENT DIT SUR LA VIE, Albin Michel, 2013, Livre de Poche, 2015.

ASSISE. UNE RENCONTRE INATTENDUE, Albin Michel, 2014.

ENTRETIENS AVEC FRANÇOISE SIRI, suivi de douze poèmes inédits, Albin Michel, 2015.

DE L'ÂME, Albin Michel, 2016, Livre de Poche, 2018.

Livres d'art, monographies

L'ESPACE DU RÊVE, MILLE ANS DE PEINTURE CHINOISE, Phébus, 1980.

CHU TA, LE GÉNIE DU TRAIT, Phébus, 1986, nouvelle éd. 1999.

ÉCHOS DU SILENCE. PAYSAGE DU QUÉBEC EN MARS. Avec des photographies de Patrick Le Bescont, Filigranes, 1988.

SHITAO, LA SAVEUR DU MONDE, Phébus, prix André-Malraux, 1998.

D'OÙ JAILLIT LE CHANT, Phébus, 2000.

ET LE SOUFFLE DEVIENT SIGNE, Iconoclaste, 2001, nouvelle éd. 2014.

TOUTE BEAUTÉ EST SINGULIÈRE, Phébus, 2004.

PÈLERINAGE AU LOUVRE, Flammarion – Musée du Louvre, 2008.

VRAIE LUMIÈRE NÉE DE VRAIE NUIT, avec des illustrations de Kim En Joong, Cerf, 2009.

DU MÊME AUTEUR

Dans la même collection

Ce volume,
le cinq cent quarante-deuxième de la collection Poésie
a été composé par Nord Compo
et achevé d'imprimer sur les presses
de l'imprimerie Novoprint,
le 9 juillet 2020.
Dépôt légal : juillet 2020
1er dépôt légal : janvier 2019

ISBN 978-2-07-283428-8/. Imprimé en Espagne.

373105